Dirección editorial: María Castillo

Coordinación editorial: Teresa Tellechea

© del texto y de las ilustraciones: Mónica Gutiérrez Serna, 2006

© Ediciones SM, 2006 - Impresores, 15 - Urbanización Prado del Espino

28660 Boadilla del Monte (Madrid)

CENTRO INTEGRAL DE ATENCIÓN AL CLIENTE

Tel.: 902 12 13 23   Fax: 902 24 12 22

e-mail: clientes@grupo-sm.com

ISBN: 84-675-0786-1

Impreso en China / Printed in China

DITA Y DITO

VAN A LA LIBRERÍA

HOY ES SÁBADO Y LOS PAPÁS DE DITA Y DITO
LOS LLEVAN DE VISITA A UNA LIBRERÍA.

—¡CUÁNTOS LIBROS! —EXCLAMAN LOS DOS AL LLEGAR.
—SÍ —DICE MAMÁ—, Y CADA UNO DE ELLOS
NARRA UNA HISTORIA MARAVILLOSA.

—PODÉIS HOJEAR ALGUNO, PERO CON MUCHO CUIDADO
—LES DICE PAPÁ.

—¡DITA, DITO! VENID, HAY UNA PERSONA
QUE VA A LEER UN CUENTO.
DITA Y DITO SE SIENTAN EN EL SUELO
Y ESCUCHAN CON ATENCIÓN.

EL LIBRO NARRA LA HISTORIA DE UNOS ENANITOS
QUE VIVEN EN EL BOSQUE.
ES MUY EMOCIONANTE, PARECE QUE SON DITA Y DITO
LOS QUE VIVEN TODAS ESAS AVENTURAS.

AL TERMINAR, TODOS APLAUDEN
MUY CONTENTOS.

A DITO Y DITA LES HA GUSTADO TANTO EL CUENTO,
QUE PAPÁ Y MAMÁ DECIDEN REGALÁRSELO.
PAPÁ PAGA EL LIBRO Y LO ENVUELVEN
CON UN PAPEL MUY BONITO.

CUANDO LLEGAN A CASA,
LO LEEN OTRA VEZ TODOS JUNTOS.